Trois versions de la vie

Yasmina Reza

Trois versions de la vie

Albin Michel

© Editions Albin Michel S.A. et Yasmina Reza, 2000
22, rue Huyghens, 75014 Paris

www.albin-michel.fr

ISBN 2-226-12021-1

HENRI
SONIA
HUBERT FINIDORI
INÈS FINIDORI

(entre 40 et 50 ans)

1.

Soir.

Un salon.

Le plus abstrait possible. Ni murs ni portes ;
comme à ciel ouvert.

Ce qui compte, c'est l'idée du salon.

Sonia est assise, en robe de chambre. Elle lit
un dossier.

Henri apparaît.

HENRI. Il veut un gâteau.

SONIA. Il vient de se laver les dents.

HENRI. Il réclame un gâteau.

SONIA. Il sait très bien qu'il n'y a pas de gâteau
au lit.

HENRI. Va lui dire.

SONIA. Pourquoi tu ne lui as pas dit ?

HENRI. Parce que j'ignore qu'il n'y a pas de gâteau au lit.

SONIA. Comment tu ignores qu'il n'y a pas de gâteau au lit ? Il n'y a jamais eu de gâteau, il n'y a jamais eu de sucré au lit.

> Elle sort.
> Un temps.
> L'enfant pleure. Elle revient.

HENRI. Qu'est-ce qu'il a ?

SONIA. Il veut un gâteau.

HENRI. Pourquoi il pleure ?

SONIA. Parce que j'ai dit non. Il devient atrocement capricieux.

HENRI *(après un léger temps)*. Donne-lui un quartier de pomme.

SONIA. Il ne veut pas un quartier de pomme, il veut un gâteau et de toute façon il n'aura rien. On ne mange pas au lit, on mange à table, on ne mange pas au lit après s'être lavé les dents et maintenant je veux examiner ce dossier, j'ai un conseil à dix heures demain matin.

L'enfant continue de pleurer.
Henri sort. L'enfant s'arrête de pleurer.
Henri revient.

HENRI. Il veut bien un quartier de pomme.

SONIA. Il n'aura ni pomme ni rien, on ne mange pas au lit, le sujet est clos.

HENRI. Va lui dire.

SONIA. Arrête.

HENRI. J'ai dit oui pour la pomme, je croyais que la pomme c'était possible. Si tu dis non, va lui dire, toi.

SONIA *(après un temps)*. Apporte-lui un quartier de pomme et dis-lui que tu le fais en secret de moi. Dis-lui que je suis contre et que tu le fais uniquement parce que tu as dit oui mais que moi je ne dois pas le savoir car je suis radicalement opposée à toute nourriture au lit.

HENRI. Je la pèle ?

SONIA. Oui.

Il sort.
Un temps. Il revient.

HENRI. Il veut que tu lui fasses un câlin.

SONIA. J'ai déjà fait un câlin.

HENRI. Retourne lui faire un petit câlin.

SONIA. On va retourner combien de fois dans sa chambre ?

HENRI. Un petit câlin. Je l'ai calmé, il va dormir.

> Elle sort. Un temps.
> L'enfant pleure. Elle revient.
> S'assoit en silence. Reprend son dossier.

HENRI. Qu'est-ce qu'il a encore ?

SONIA. Il veut la pomme en entier.

> Un temps.
> Chacun reprend son occupation.

HENRI. Pourquoi on ne lui donne pas la pomme en entier ? C'est bon qu'il aime les fruits.

SONIA. Il n'aura plus rien.

HENRI. Si tu veux, je la pèle et je lui apporte.

SONIA. Pourris-le. Je m'en fous. Je me désintéresse.

HENRI *(en direction de l'enfant)*. Arnaud, dodo !

SONIA. Qu'est-ce qu'il est chiant.

HENRI. Dodo !

SONIA. Plus tu cries dodo plus tu l'excites.

HENRI. On ne va pas passer la soirée à l'entendre pleurnicher. Je ne comprends pas cette rigidité. Qu'est-ce qu'une petite pomme va changer dans la nuit des temps ?

SONIA. Si nous cédons sur la pomme, il saura qu'on peut céder sur tout.

HENRI. On n'a qu'à lui dire qu'on cède sur la pomme ce soir exclusivement ce soir, par gentillesse et parce que nous sommes fatigués de l'entendre geindre.

SONIA. Certainement pas parce que nous sommes fatigués de l'entendre geindre !

HENRI. Oui, bien sûr, c'est ce que je voulais dire, nous ne céderons plus dorénavant, surtout s'il geint à la moindre contrariété ce qui ne fera que nous raidir.

SONIA. Lui dire que nous sommes fatigués de l'entendre geindre est la pire phrase que tu pouvais trouver. C'est inimaginable que tu puisses même formuler une phrase pareille.

HENRI. Nous sommes *fatigués* de l'entendre geindre au sens générique du terme. Nous en avons *assez* qu'il geigne d'une façon générale.

SONIA. D'où la pomme en entier.

HENRI. D'où la pomme, d'où l'ultime pomme en tant qu'exception.

Sonia lit.
Henri sort.
Très vite l'enfant cesse de pleurnicher. Henri revient.

HENRI. Il était content. En fait, tu sais, je crois vraiment qu'il avait faim. Je lui ai expliqué qu'il fallait impérativement changer de comportement. Impérativement. Il veut un câlin. Juste un petit câlin.

SONIA. Non.

HENRI. Un petit câlin.

SONIA *(l'imitant bêtement)*... un petit câlin.

HENRI. Je lui ai dit que tu venais.

Sonia se lève.

HENRI *(en direction de l'enfant).* Maman arrive !

Sonia sort.
Henri reste seul.
Assez vite l'enfant pleure.
Sonia revient.

SONIA. Je ne retournerai plus une seule fois, sache-le.

HENRI. Qu'est-ce qui se passe ? A chaque fois que tu y vas, il pleure.

SONIA. Qu'est-ce que ça veut dire ?

HENRI. Je ne sais pas. A chaque fois que tu vas dans sa chambre, il recommence à pleurer.

SONIA. Et alors ?

HENRI. Quand moi j'y vais, il se calme, il s'apprête à s'endormir gentiment.

SONIA. Et quand moi j'y vais, il hurle à la mort.

HENRI. Qu'est-ce que tu lui as dit ?

SONIA. Pour qu'il hurle à la mort ?

HENRI. Ecoute, avoue que c'est curieux, on dirait que tu l'énerves à chaque fois.

SONIA. Tu sais ce qu'il voulait ? Il ne voulait pas « un petit câlin », il voulait une histoire. Il voulait écouter une quatrième histoire en croquant sa pomme.

HENRI. Arnaud, dodo !

SONIA. La ferme, Arnaud !

HENRI. Comment tu lui parles ?

SONIA. Ta gueule, Arnaud !

HENRI. Tu es complètement cinglée !

SONIA. Il se tait. Tu vois.

HENRI. Il se tait parce qu'il est traumatisé.

SONIA. Toi tu ne traumatises personne, c'est sûr. Ni ton fils ni Hubert Finidori.

HENRI. Quel rapport avec Hubert Finidori ?

SONIA. J'aimerais t'enregistrer quand tu lui parles au téléphone. Le ton obséquieux et arrangeant.

L'ENFANT *(de la chambre).* Papa !

HENRI. Oui, mon chéri. *(En sortant.)* Tu m'expliqueras ce que Hubert Finidori vient faire dans cette conversation.

Sonia a repris sa lecture.
Henri revient.

HENRI. Il est bouleversé. *(Elle ne réagit pas.)* Il ne peut pas comprendre cette violence de la part d'une mère.

SONIA. Le pauvre chou.

HENRI. Sonia, tu continues avec ce ton et l'autre continue à faire chier, moi je me tire.

SONIA. Tire-toi.

HENRI. Je me tire et je ne reviens pas.

SONIA. Qui te retient ?

Henri arrache le dossier des mains de Sonia et le jette à terre.

HENRI. Va embrasser le petit, va lui dire que tu regrettes d'avoir parlé avec cette disproportion.

SONIA. Lâche-moi !

HENRI. Je ne te lâche pas tant que tu ne t'es pas excusée.

SONIA. M'excuser de quoi ? Tu ne pourrais pas une seule fois dans ta vie être de mon côté ! M'excuser de quoi ? De ne pas lui avoir apporté un paquet de Fingers ? Tu veux un paquet de Fingers, Arnaud ?

HENRI. Tu es hystérique !

SONIA. Tu veux la boîte de Fingers, Arnaud !

HENRI. Arrête !

SONIA. Papa arrive avec la boîte de Fingers !

Henri tente de la bâillonner avec sa main.

L'ENFANT *(de sa chambre)*. Papa !

HENRI. Ça suffit, Arnaud ! *(Ils luttent.)*

SONIA. Pourquoi tu lui dis ça suffit, le pauvre, c'est nous qui lui proposons des Fingers !

HENRI. Chut !

SONIA. Tu m'étouffes !

HENRI. Il entend tout !

SONIA. Au secours !

On les quitte brutalement, en pleine action.

20

Trois versions de la vie

***

Soir. Dans la rue.

INÈS. J'ai filé mon collant !

HUBERT. Ça ne se voit pas.

INÈS. Parce que c'est le début. Ça ne va faire qu'empirer.

HUBERT. Ce n'est pas très grave.

INÈS. Hubert, je ne vais pas chez des gens que je ne connais pas avec un bas filé.

HUBERT. Nous avons déjà une demi-heure de retard, nous ne pouvons ni retourner à la maison ni chercher dans la nuit un marchand de collants. Assumons l'incident.

INÈS. Tu m'as pressée, voilà le résultat. C'est encore loin ? Pourquoi tu t'es garé si loin ? Il y a toutes les places qu'on veut ici, qui veut habiter là ?

HUBERT. Tu n'as pas du vernis à ongles ?

INÈS. Du vernis à ongles ?

HUBERT. Pour résoudre le collant.

INÈS. Et avoir l'air d'une clocharde ?

21

HUBERT. Il est neuf heures vingt.

INÈS. Je ne peux pas arriver avec un bas filé !

HUBERT. Qui voit ça ?

INÈS. Qui voit ça ? Tout le monde à part toi, quelqu'un arrive chez moi avec un bas filé, la première chose que je vois c'est le bas filé.

HUBERT. Tu n'as qu'à dire à la femme d'Henri que tu viens de filer un bas dans l'ascenseur, que tu es très gênée, avec un peu de chance elle va t'en prêter un, Inès, on se fout de ces gens, il n'a rien publié depuis trois ans, il a besoin de mon appui pour passer directeur de recherches, que tu arrives avec un bas filé ou non, ils seront courbés en deux.

***

A nouveau chez Sonia et Henri.
Ils reviennent ensemble de la chambre d'enfant.

HENRI. Tu l'as paniqué.

SONIA. Henri, nous venons d'en parler, on ne va pas recommencer.

HENRI. Un enfant de six ans, entendre sa mère crier au secours. Imagine.

SONIA. Il est rassuré, le sujet est clos.

HENRI. Dans sa propre maison ! Dans sa propre maison ! Ce qui signifie que l'agresseur ne peut être que moi. Son père.

SONIA. Arnaud a admis qu'on plaisantait.

HENRI. Pour nous faire plaisir. Il est beaucoup plus malin que tu ne crois.

SONIA. Le sujet est clos. *(Elle se replonge dans ses dossiers.)*

HENRI. Donc je parle d'un ton obséquieux à Hubert Finidori ?

On sonne.

SONIA *(à voix basse)*. Qui est-ce ?

HENRI *(idem)*. Je vais regarder.

Il revient aussitôt.
Tout ce qui suit, à voix basse :

HENRI. Les Finidori !

SONIA. C'est demain !

HENRI. On est le 17… C'est ce soir.

SONIA. C'est une catastrophe.

HENRI. Oui.

SONIA. Ils nous ont entendus ?

HENRI. Qu'est-ce qu'on a dit ?

SONIA. On ne peut pas ouvrir.

HENRI. On ne peut pas ne pas ouvrir.

SONIA. Qu'est-ce qu'on fait ?

HENRI. Va te… va te recomposer un petit peu.

SONIA. On ouvre ?

HENRI. Ils savent qu'on est là.

SONIA. C'est une catastrophe.

HENRI. Il reste quelque chose dans la cuisine ?

SONIA. On a tout fini. Pour moi, c'était demain.

HENRI. C'était fondamental ce dîner pour moi !

SONIA. Tu m'accuses !

HENRI. Va te changer au moins.

SONIA. Non.

HENRI. Tu ne vas pas recevoir les Finidori en robe de chambre !

SONIA. Si.

HENRI *(il la pousse vers le fond de l'appartement en essayant de ne pas faire de bruit).* Va t'habiller, Sonia !

SONIA *(elle résiste à sa pression).* Non.

HENRI *(ils luttent en silence).* Comment peux-tu être si égoïste ?

Nouvelle sonnerie.

HENRI. J'ouvre.

***

Inès, Hubert, Sonia et Henri dans le salon.
Les deux invités picorent divers mets froids (chips, Babybel, boîte de Fingers, etc.) posés sur un plateau. Sonia et Henri les accompagnent en buvant.
Sonia s'est changée. Inès a conservé son bas filé.

INÈS. Moi aussi je suis très à cheval sur les rituels du coucher. D'abord l'heure, on se couche à huit heures, enfin bon on peut se coucher à huit heures et demie mais enfin disons entre huit heures et huit heures et demie, à huit heures trente quoi qu'il arrive on est au lit, dents ultra-lavées parce que le matin, honnêtement, je trouve ça difficile d'exiger le lavage des dents avant l'école, je reconnais que c'est un tort, en réalité il faudrait se brosser les dents matin et soir minimum mais bon, je fais l'impasse sur le matin en revanche ils savent que le soir c'est vraiment à fond et qu'il est hors de question évidemment de manger quoi que ce soit ensuite, Hubert c'est curieux, il est d'accord avec les repères éducatifs, mais d'un autre côté il va les exciter en entamant une partie de foot avec eux, dans la chambre, à huit heures du soir.

Tout le monde rit.

HUBERT. Une fois. Une fois, j'ai joué au foot !

INÈS. Une fois tu as joué au foot mais tu les excites régulièrement.

HENRI. Et vous êtes très sévère sur les dents.

INÈS. Ah oui. Oui, très sévère sur les dents. Ce ne sont pas tellement les dents au fond, c'est la discipline. Encore que je sois aussi à cheval sur l'hygiène naturellement mais les dents, c'est la discipline. On se couche, on se lave les dents.

SONIA *(à Henri).* Tu vois !

HENRI. Arnaud se lave les dents.

SONIA. Mais après tu lui pèles une pomme.

INÈS *(riant aimablement).* Ah non. Non ! Si vous lui pelez une pomme après les dents, vous rendez tout le système caduc.

HENRI. Quand je me lave les mains, il est rare que je ne touche plus à rien ensuite.

HUBERT. Bravo, Henri. Elles nous tuent avec leurs théories. Il faudrait des femmes qu'on puisse éteindre de temps en temps. Pas mauvais ces petits gâteaux. *(Il croque les Fingers.)* Alors, où en êtes-vous avec l'aplatissement des halos ?

HENRI. J'ai fini. Je soumets l'article avant la fin du mois.

HUBERT. Epatant. Cela dit vous devriez vérifier sur Astro PH, il m'a semblé voir une publication voisine, acceptée dans *A.P.J.*

L'ENFANT *(de la chambre)*. Maman !

HENRI *(atterré)*. Ah bon ? Très récente alors ?

HUBERT. Oui, oui, ce matin. *« On the flatness of galaxy halos »*.

L'ENFANT. Maman !

HENRI. *« On the flatness of galaxy halos »* ? C'est mon sujet ! Qu'est-ce qu'il veut, Sonia, vas-y ma chérie !

Sonia sort.

HENRI. Vous me perturbez, Hubert.

HUBERT. Vérifiez avant de vous mettre martel en tête.

HENRI. J'ai laissé mon portable à l'Institut.

On entend l'enfant pleurer.

HENRI. Mais qu'est-ce qu'il a ce soir ! *« On the flatness of galaxy halos »*, c'est mon sujet ! *« Are the dark matter halos of galaxies flat ? »* Quelle différence ?

HUBERT. Il traite peut-être de matière visible. J'ai lu l'abstract en vitesse. *(Croquant le dernier petit gâteau.)* Mais je dois dire que ça m'a troublé, c'est pour ça que je vous en informe.

INÈS *(tandis qu'on entend toujours l'enfant pleurer).* Il vaut mieux qu'il lise avant de s'inquiéter.

HUBERT. Inès, mon cœur, n'interviens pas quand tu ne sais pas de quoi tu parles.

HENRI *(à voix forte).* Qu'est-ce qu'il a, Sonia !

INÈS. Pourquoi l'oppresser à l'avance ?

Sonia revient.
L'enfant a cessé de pleurer.

SONIA. Il veut des Fingers.

HENRI. C'est dément.

SONIA. Il a eu la pomme, maintenant il veut les Fingers.

HUBERT *(soulevant le paquet vide).* J'espère que ce ne sont pas les friandises que je viens de manger ?

SONIA. Si.

HENRI. Vous avez très bien fait ! On ne va pas lui donner des Fingers à dix heures du soir. Au lit !

HUBERT. Je suis navré. Vous n'aviez pas un autre paquet ?

INÈS. Mais enfin, Hubert, ils ne vont pas lui donner des Fingers à dix heures du soir au lit !

HENRI. Bien sûr que non !

SONIA. On peut lui donner du fromage.

HENRI. Sonia, qu'est-ce qui te prend ?

SONIA. Tu préfères qu'il gâche la soirée ? Au moins on sera tranquille.

INÈS. C'est tout ce qu'il espère.

SONIA. Pardon ?

INÈS. Il se rend odieux pour que vous cédiez.

SONIA. Et nous cédons.

INÈS. Et vous avez tort.

HUBERT. Inès, voyons, ne te mêle pas de…

INÈS. Je me mêle de ce que je veux, arrête de me brider !

HENRI *(à Sonia)*. Apporte-lui son fromage, apporte-lui ce que tu veux mais qu'il arrête de nous interrompre ! Quelle était son approche ? Modélisation d'observations ou simulations numériques ?

HUBERT. Il m'a semblé modélisation mais encore une fois…

HENRI *(l'interrompant)*. Modélisation ! Je suis foutu. Deux ans de travail foutus en l'air.

HUBERT. Quelle nervosité, Henri ! Je dis modélisation mais peut-être est-ce simulation et attendez, peut-être n'a-t-il modélisé que la partie visible !

INÈS. C'est quoi votre sujet en français ?

HENRI. Les halos de matière noire des galaxies sont-ils plats ?

INÈS. Et d'après vous ils sont plats ?

HENRI. D'après moi ils sont dix fois plus minces que longs.

INÈS. Ah bon…

SONIA *(revenant)*. Il ne veut pas de fromage, il ne veut rien, il veut des Fingers et ne vous sentez absolument pas gêné d'avoir terminé le paquet, il n'en aurait pas eu.

HENRI. Qu'est-ce qu'il fait ?

SONIA. Il pleure. J'ai fermé toutes les portes, comme ça on ne l'entend plus.

INÈS. Pauvre chou.

SONIA. Vous avez assez mangé ? J'ai vraiment honte.

HENRI. Si on n'avait pas eu Arnaud, on vous aurait emmenés au restaurant.

HUBERT. Henri, quittez cet air sinistre. Même si vos approches sont similaires, ce qui n'est pas avéré, vos conclusions sont certainement différentes.

INÈS. Mais oui !

HUBERT. Et c'est une spécialiste qui vous parle !

INÈS. Tu ne fais rire personne. Et encore moins le pauvre Henri.

HUBERT. Je sais comment faire rire Henri ! Henri, vous voulez rire, demandez à Inès de vous décrire un halo.

SONIA. Vous savez, Henri a déjà sa demeurée à domicile.

INÈS. Si vous croyez que je me vexe !

HENRI. C'est ma mort scientifique, cet article. Ça m'inquiète de ne plus entendre le petit. Laisse les portes ouvertes Sonia, s'il te plaît, j'ai déjà assez de soucis ce soir !

INÈS. Que voulez-vous qu'il arrive ?

HENRI. Rien. Mais quand mon fils pleure, je préfère l'entendre.

SONIA. Toi peut-être mais pas forcément nos invités.

INÈS. Laissez les portes ouvertes, ne vous gênez pas pour nous.

HUBERT. Ne vous gênez pas pour nous. *(Sonia retourne vers la chambre de l'enfant.)* De toute façon mon vieux, vous me paraissez légèrement fragile ce soir. Mort scientifique !

Sonia revient. On n'entend pas l'enfant.

HENRI. Trois ans sans publier pour se voir refuser un sujet parce que déjà traité, ça s'appelle comment ? Mort scientifique.

HUBERT. Vous n'êtes pas aux États-Unis !

HENRI. C'est pire. Au moins les choses sont claires là-bas. On ne l'entend plus, il est calmé ?

SONIA. On dirait.

HENRI. Tu n'as pas été le voir ?

SONIA. Non.

HENRI. Ce n'est pas normal qu'il se soit arrêté de pleurer brutalement.

INÈS. Vous le surcouvez, Henri.

HUBERT. Elle est terrible ! *(A Inès.)* Tu es terrible !

HENRI. Maintenant je vais devoir reprendre mon travail pour inclure le sien. Je vais devoir le citer, je vais devoir le citer et qui risque d'être mon rapporteur ? Lui.

HUBERT. Et alors ? Dans six mois vous me direz, c'est le meilleur rapporteur que j'ai jamais eu. Vous êtes au bout du rouleau mon vieux, pour dramatiser comme ça.

INÈS *(à Hubert).* Mais toi quel besoin avais-tu de lui parler de cet article !

HENRI. Heureusement ! Heureusement qu'il m'en a parlé ! Merci, Hubert. Merci sincèrement.

SONIA. Merci de quoi ? D'avoir ruiné ton week-end ?

HENRI. Merci de m'éclairer. Merci de m'éviter de passer pour un guignol lundi matin au bureau. A l'heure qu'il est, Raoul Arestegui qui vit devant son écran, a déjà passé dix coups de fil.

HUBERT. Honnêtement, j'ai pensé qu'il fallait vous le dire mais je ne prévoyais pas ce saut dans l'irrationnel.

SONIA. Vous auriez pu lui dire autrement.

HUBERT. Ah bon ? *(Hubert pioche dans un paquet de pistaches... vide.)*

HENRI *(empressé).* Il n'y en a plus ? Sonia, tu peux rapporter des petits salés, vous voulez encore du salé, du salé ou du sucré ? Qu'est-ce qu'il nous reste, ma chérie ?

HUBERT. Non, non, ne vous dérangez pas...

SONIA. Vous auriez pu l'en avertir avec d'autres mots, avec des mots qui laissent flotter un parfum de flou et d'inimportance.

HUBERT. Nous sommes dans le domaine des sciences, ma petite Sonia. Les mots n'ont pas la vertu d'aromatiser l'atmosphère. Hélas. *(Il s'amuse de son trait et englobe Henri qui rit faiblement.)*

SONIA. Dans quelque domaine que vous vous placiez, ils ont eu la vertu de plonger mon mari dans le désarroi.

HUBERT. Ce sont les faits qui plongent Henri dans le désarroi. Un désarroi, parfaitement disproportionné !

SONIA. Les faits présentés par vous. En vue de son désarroi.

HENRI. Tu es folle. Enfin, Sonia, c'est ridicule.

HUBERT *(conservant un principe de jovialité)*. Je n'aimerais pas l'avoir comme adversaire dans un prétoire !

SONIA. Je n'y suis plus depuis des années, je travaille pour un groupe financier.

HUBERT. Mais vous savez toujours manier les mots qui… comment déjà ?…

HENRI. Sonia, nos amis ont encore faim.

SONIA. Vous voulez des Apéricubes ?

INÈS. Non merci.

HUBERT. Ah des Apéricubes, oui j'aime bien les Apéricubes.

Sonia sort.

HENRI. Un petit alcool ?

HUBERT. Merci, je reste au sancerre.

INÈS. C'est important que les halos soient plats ?

HUBERT. Logique féminine ! Elle me reproche d'avoir parlé et elle remet le sujet sur le tapis. *(Sonia est revenue.)* Apéricubes au bacon ! Mes préférés !

INÈS. C'est important ?

HENRI. Quand vous regardez la Voie lactée, ça fait comme une ligne ?...

INÈS. Oui.

L'ENFANT. Maman !

SONIA. Dodo, Arnaud !

HENRI. ... Eh bien moi, j'ai de sérieuses raisons de penser que la distribution de matière invisible qui l'entoure est quasiment aussi plate que la matière visible.

L'ENFANT. Maman ! J'ai soif !

HENRI. Il a soif.

INÈS. Et qu'est-ce que ça change ?

HENRI. Tout. Jusqu'à aujourd'hui le halo était rond. Il était sphérique ! *(A Sonia.)* Tu ne vas pas lui apporter un petit verre d'eau ?

SONIA. Non.

INÈS. Et qu'est-ce que ça change que le halo ne soit plus rond ?

HENRI. Dans notre vie de tous les jours, rien.

HUBERT. Tu l'embêtes Inès avec ces questions ineptes !

L'ENFANT. Maman !

HENRI. On modifie une donnée de la réalité. On contribue à l'encyclopédie de l'humanité. Sonia, chérie, apporte-lui à boire, il ne va pas monopoliser la soirée !

INÈS. Quel âge a-t-il ?

SONIA. Six ans.

INÈS. Il ne sait pas se servir à boire tout seul ?

SONIA. Non.

HENRI. Mais si, il sait très bien, seulement nous ne voulons pas qu'il sorte de son lit.

SONIA. Il est incapable de se servir tout seul à boire.

HENRI. Il en est tout à fait capable mais il n'a pas le droit de sortir du lit.

SONIA. Arnaud ne sait pas se servir à boire tout seul.

HENRI. Bien sûr que si !

INÈS. A six ans, on sait se servir à boire tout seul.

SONIA. Pas notre fils.

HENRI. Arnaud sait parfaitement se servir à boire tout seul, enfin Sonia !

HUBERT. A mon avis il sait le faire mais il préfère se faire servir.

HENRI. Voilà !

HUBERT. C'est un pacha ce petit ! *(Sonia sort.)* Je l'ai vexée ?

HENRI. Mais non.

INÈS. Vous avez tort de céder à tous ses caprices.

HUBERT. De quoi je me mêle, Inès.

INÈS. Comment de quoi je me mêle ! Qui vient de dire c'est un pacha ?

HUBERT. Je dis c'est un pacha en plaisantant. Je ne donne pas de leçons.

HENRI. Deux ans de travail foutu en l'air.

HUBERT. Henri, par pitié !

HENRI. Trois ans sans publier, même en dernier auteur, en Amérique on expédie ces gens-là dans l'enseignement.

Sonia revient et se dirige vers le plateau ; elle cherche quelque chose.

SONIA. Il n'y a plus d'Apéricubes ?

HENRI. Pour qui, pour le petit ?

SONIA. Le petit a eu son verre d'eau et il accepte de ne plus nous emmerder si on lui donne une soucoupe d'Apéricubes.

HUBERT *(cherchant)*. Ne me dites pas que j'ai fini les Apéricubes !

HENRI *(trouvant)*. Il y en a un ! Il en reste un.

HUBERT. Deux !

HENRI. Deux Apéricubes, ça suffit, non ?

Sonia repart avec les Apéricubes.

INÈS *(à Henri)*. Vous pensiez être le seul à avoir cette idée ?

HUBERT. Quelle idée, chérie ?

INÈS. Hubert, s'il te plaît, cesse de contrôler ma conversation !

HUBERT. Je ne contrôle pas ta conversation ma chérie, je n'avais pas compris ta question…

INÈS. Tu l'avais parfaitement comprise et elle ne s'adressait pas à toi, et tu l'avais parfaitement comprise, et ce petit ton d'ironie permanent appliqué à tout ce que je dis comme si j'étais une débile est insupportable.

L'enfant pleure.

HUBERT. Tu fais pleurer l'enfant.

HENRI. Qu'est-ce qu'il a, Sonia, merde !

HUBERT. Calmez-vous, calmons-nous, tout ça prend des proportions.

SONIA *(revenant)*. Deux Apéricubes ne suffisaient pas, il a eu une fessée, je ne veux plus en entendre parler.

HENRI. Tu as fermé les portes ?

SONIA. Oui.

Un léger temps.

41

HUBERT. Vous êtes ici depuis longtemps ?

SONIA. Un an et demi.

HUBERT. Et avant ?

SONIA. Dans le quatorzième.

HUBERT. C'est mieux ici. C'est plus tranquille.

SONIA. Oui.

HUBERT. Et vous n'exercez plus comme avocate ?

SONIA. Non.

HUBERT. Henri m'avait dit que vous étiez avocate, je croyais que vous exerciez comme avocate.

SONIA. J'ai une formation d'avocate.

HUBERT. C'est ça.

HENRI. Une femme brillante et un raté.

HUBERT. Nous ne relevons pas.

SONIA. Et vous, Inès, que faites-vous ?

INÈS. Rien. C'est-à-dire plein de choses, je n'ai jamais été aussi occupée que depuis que j'ai cessé de travailler.

HUBERT. C'est pourquoi je ne lui demande jamais rien. Ne demande jamais un service à quelqu'un qui ne fait rien. Il n'aura pas le temps de te le rendre. *(Il s'amuse lui-même de son trait.)*

INÈS. Mon mari ne sait se divertir qu'à mes dépens. Je me demande ce qu'il deviendrait en société sans moi. *(A Henri.)* Vous n'avez pas répondu à ma question.

HENRI. Qui était ?

HUBERT. Le plasma intergalactique est-il multiphasé ? *(Il rit de très bon cœur de son espièglerie.)*

Sonia rit malgré elle.
Henri rit à la traîne.
Inès est de marbre.

HENRI *(alors que l'hilarité des deux autres ne s'éteint pas)*. Vous me demandiez si mon sujet avait été envisagé par d'autres.

INÈS. Merci Henri.

HENRI. Je pensais être le premier à m'être attaqué à sa résolution. Même si la question était d'actualité.

INÈS. Vous m'avez dit que votre découverte ne servait à rien aujourd'hui.

HUBERT. D'actualité ça veut dire dans l'air mon trésor, dans l'esprit du temps. Oh, tenez, il reste encore un Apéricube !

SONIA. Mangez-le.

HUBERT. Vous plaisantez, je suis déjà assez mal avec l'enfant. Cela dit, quand on commencera à se promener dans les galaxies, dans mille ans, on tiendra compte des calculs d'Henri.

HENRI. Ou de mon concurrent.

L'ENFANT *(d'une voix hurlante et déchirée)*. Papaaa ! Papaaaa !…

HENRI. Ah non, ça suffit maintenant, je vais l'assommer ! Excusez-moi deux minutes… *(Il va pour sortir.)*

SONIA. Je viens avec toi.

HUBERT. Donnez-lui l'Apéricube, donnez-lui l'Apéricube !

Absurdement, Henri revient sur ses pas pour prendre l'Apéricube.

Ils sortent.

Inès et Hubert restent seuls.
A voix basse.

HUBERT. Ils sont cinglés.

INÈS. Lui surtout.

HUBERT. Et l'enfant est effrayant.

INÈS. Il n'a aucun repère, ils lui donnent du fromage à dix heures du soir.

HUBERT. Et nous on a bouffé de la merde.

INÈS. Pourquoi tu me rabaisses devant les gens ? Je voudrais comprendre ce besoin pathologique que tu as de me rabaisser constamment devant les gens.

HUBERT. Je ne te rabaisse pas, je plaisante.

INÈS. « Demandez à Inès de vous décrire un halo », tu trouves ça désopilant ?

HUBERT. J'ai essayé de détendre l'atmosphère, tu as vu dans quel état il s'est mis.

INÈS. Grâce à qui ?

HUBERT. Inès, je ne supporte plus cette litanie…

INÈS. Chut !…

HUBERT *(reprend à voix feutrée et de ce fait encore plus exaspéré)*... cette litanie de remontrances à chaque fois que nous allons quelque part...

INÈS. Tu avais besoin de lui parler de cet article ?

HUBERT. Tu hurles, toi aussi.

INÈS. Il est très dépressif ce garçon.

HUBERT. On le serait à moins.

INÈS. Ah bon ?

HUBERT. Dans un système concurrentiel, ce qui compte ce n'est pas d'avoir les bonnes idées, c'est de gagner au jeu. Déjà il peut dire adieu à sa promotion.

HENRI *(off)*. Encore un mot, encore un appel et je mettrai ma menace à exécution !

INÈS. Comment peux-tu être aussi froid !

HUBERT. Je ne suis pas froid, il est maudit. Il y a des gens qui sont maudits, c'est triste mais on n'y peut rien. Tu sais que c'est vraiment impossible ce bas filé, ça me gêne depuis le début de la soirée.

INÈS *(elle le frappe d'un coup désespéré).* Qui m'a obligée à monter ! Je savais que c'était affreux...

SONIA *(revenant).* Qui est maudit ? Mon mari ?

HUBERT. Henri ? Maudit ? Vous voulez rire ! Il n'y a que lui pour se croire maudit ! Nous parlions d'un ami, Serge Bloch, qui après avoir été inondé...

INÈS *(l'interrompant).* Nous parlions d'Henri.

HUBERT *(jovial).* Il y a un vrai vent de folie ce soir dans cette maison ! Elle me hait parce que je viens de lui faire remarquer son bas filé.

INÈS *(très vivement).* Tu ne viens pas de me le faire remarquer, ce collant était filé dans la rue et je ne voulais pas me présenter devant tes amis en romanichelle, j'étais très gênée d'arriver comme ça chez vous, je m'apprêtais à m'excuser et à vous emprunter une paire de collants mais comme vous étiez vous-mêmes gênés de nous voir arriver la veille pour le lendemain j'ai opté pour faire comme si de rien n'était, une attitude aristocratique qui m'a coûté car vous ne le savez naturellement pas mais je suis une femme plutôt maniaque et

47

mon mari au lieu de me soutenir dans cette voie, au lieu de prendre soin de ma dignité, ne trouve rien de mieux à faire que de m'agresser en pleine conversation, de me dire que ce collant filé est impossible et que je lui gâche sa soirée…

HUBERT. J'ai peur qu'Inès n'ait un peu abusé du sancerre !

INÈS. Ne t'abaisse pas à me faire passer pour une poivrote Hubert, contente-toi de tes gausseries habituelles…

SONIA. Je n'ai que des collants noirs, je n'ai plus aucun collant chair, je ne sais pas si ça irait…

INÈS. Tout va très bien. Ne vous inquiétez pas pour moi, d'ailleurs je suis heureuse de rester avec une tenue qui gâche la soirée de mon mari…

HENRI *(revenant)*. Au moindre appel, à la moindre manifestation, je fais disparaître la minicassette !

HUBERT. Bravo !

HENRI. Cette soirée est un peu décousue, non ? Je suis désolé.

SONIA *(à Inès).* Vous savez, ça n'a aucune importance, pour vous dire la vérité j'ai failli vous recevoir en robe de chambre, Henri m'a suppliée de m'habiller, je ne pouvais pas recevoir les Finidori en robe de chambre !

HUBERT. Henri, quel formalisme !

SONIA. Avec vous seulement, mon mari se fout des formes en temps ordinaire, sauf avec vous. Avec Hubert Finidori mon mari adopte un ton finidorien, se voûte et veut qu'on s'habille.

HENRI. Qu'est-ce que ça veut dire, je me voûte, qu'est-ce que ça veut dire un ton finidorien, qu'est-ce que c'est que ce discours ? Qu'est-ce que c'est que ce discours, Sonia ?

HUBERT. Et que me vaut ce traitement de faveur ? Je feins, notez, de ne pas saisir le fiel qu'il y a dans tout ça.

SONIA. Ce traitement de faveur parce que mon mari s'imagine que vous pouvez le faire passer en rang A.

HUBERT. En rang A ! Elle s'y connaît, dites donc, elle a même le jargon !

INÈS. Hubert !

49

HENRI. Sonia, je suis consterné !

HUBERT. Henri est C.R. à l'I.A.P. et moi directeur de labo à Meudon, en quoi suis-je chargé de son recrutement ?

SONIA. Vous faites partie d'un comité national, vous pouvez statuer sur la promotion des gens qui ne sont pas de votre labo.

HENRI. Hubert, je ne sais pas quelle mouche l'a piquée, tout ça est absurde, je suis navré.

SONIA. Un exemple du ton finidorien.

HENRI. Sonia !

SONIA. Il est clair que vous ne ferez jamais rien pour mon mari, vous prenez plaisir à le voir s'affaiblir, vous l'avez averti de cet article concurrent à seule fin de le voir perdre pied et de vous dégager de toute responsabilité au cas où il s'autoriserait, en rampant, à vous demander un service. Votre perversité me dégoûte et je méprise votre minable pouvoir de couloirs.

INÈS. Mon mari a publié dans *Nature,* je ne vois pas en quoi son pouvoir est minable.

HUBERT. Inès, Inès, je n'ai pas besoin de toi trésor.

HENRI. Hubert est l'un des plus grands experts mondiaux en cosmologie, il n'y a pas un article sur les amas de galaxies qui ne le cite, qu'est-ce que tu connais Sonia ! De quoi tu parles !

SONIA. Il vient de dire que tu es maudit.

HUBERT. Elle est terrible ! Je comprends que vous soyez légèrement déphasé mon vieux !

HENRI. Quoi maudit ? Je suis maudit ?

SONIA. C'est ce qu'il vient de dire. Que tu es maudit et qu'on ne peut rien pour toi.

HENRI. A qui ? A toi ?

SONIA. A elle.

INÈS. Hubert parlait de Serge Bloch, tu parlais de Serge Bloch Hubert ?…

HENRI. Qu'est-ce que Serge Bloch a à voir là-dedans ?

INÈS. Il a d'abord été inondé…

HUBERT *(la coupant)*. Ne tombons pas dans le ridicule Inès, please ! D'abord Sonia laissez-moi vous dire que vous auriez mieux fait de nous recevoir en robe de chambre. D'une part cela aurait parachevé l'incongruité de cette situation mais surtout cela vous aurait humanisée. Il y a chez vous une sécheresse et une gravité qui contrastent avec l'impression de jolie femme espiègle que vous suggérez dans les premières minutes.

HENRI. Tout à fait d'accord !

SONIA. J'aurais mieux fait de les recevoir en robe de chambre ?

INÈS. Vous auriez mieux fait de ne pas nous recevoir du tout ! C'est la pire soirée que j'ai jamais passée ! *(Elle fait mine de vouloir partir.)*

HENRI. Félicitations Sonia ! Félicitations !

HUBERT. Ne lui attribuez pas le naufrage de cette visite, nous y avons tous contribué. Inès, calme-toi mon ange.

INÈS. Ne m'appelle pas mon ange et cesse de faire des mondanités.

HENRI. Hubert, soyez franc, je suis maudit ?

HUBERT. … Vous traversez une mauvaise passe.

HENRI. Donc je suis maudit.

HUBERT. Vous n'êtes pas maudit, vous êtes d'une anxiété anormale, et vous êtes complètement défaitiste Henri, il faudrait peut-être vous faire aider.

HENRI. Vous avez vraiment dit que j'étais maudit ?

HUBERT. Mais non !

HENRI. A votre avis, j'ai encore une chance d'être publié ?

HUBERT. Bien sûr ! Peut-être pas dans *A.P.J.* mais dans *A & A.* Ou dans *M.N.R.A.S.,* pourquoi pas ?

INÈS. Que les halos soient plats ou non, vous vous en foutez, ce que vous voulez c'est être publié.

HUBERT. Tout le monde veut être publié trésor, c'est ça la finalité.

HENRI. Si cet article est refusé, je suis un homme fini.

HUBERT. Vous êtes chargé de recherche, vous ne pouvez pas perdre votre poste.

HENRI. Un raté indélogeable, ce qu'il y a de pire.

SONIA. Quand j'ai épousé Henri, je pensais – avec une bêtise ! – qu'il y avait une finalité supérieure à vivre parmi les étoiles et que cela conférait une certaine hauteur de vue.

HUBERT. Ma chère, rien n'élève ni ne transcende. L'homme, seul, décide de ce qu'il est.

SONIA. Epatant !

INÈS. Pourquoi vous en voulez tellement à mon mari ?

SONIA. Je n'en veux pas à votre mari, j'en veux au mien.

HENRI. On peut savoir pourquoi ?

SONIA. Mon mari se traîne devant le vôtre. Aucune femme normale ne peut supporter ça. D'autant qu'il se traîne pour rien.

HENRI. Je ne me traîne absolument pas ! Je me traîne Hubert ?

INÈS. Allons-y Hubert, c'est effrayant.

HENRI. Hubert, je me traîne ?

SONIA. Tu te traînes.

HUBERT. Nous sommes tous éméchés…

SONIA. N'essayez pas d'aplanir, il se traîne devant vous, vous y prenez un malin plaisir, ce que je comprends.

INÈS. Comment pouvez-vous humilier votre mari de cette manière ?

HUBERT. Inès, cesse de te mêler !

INÈS. Je me mêle de ce que je veux, merde !

On entend brutalement une chanson – volume maximum – en provenance de la chambre d'enfant.

HENRI. Qu'est-ce que c'est ?

SONIA. *Rox et Rouky.* Tu lui as mis *Rox et Rouky.* *(Elle file vers la chambre.)*

INÈS. Vous lui avez mis la télé ?

HENRI. Pas la télé, une minicassette, il a le droit d'écouter une minicassette le soir dans son lit.

HUBERT. Et si ses parents voulaient qu'il regarde la télé, il regarderait la télé !

INÈS. Je n'ai pas dit qu'il ne pouvait pas regarder la télé !

HUBERT. Si. Tu ne le dis pas mais tu le penses. Tu as une propension à réglementer même ce qui ne te concerne pas.

INÈS. J'ai dit qu'il ne pouvait pas regarder la télé ?

HENRI. Il ne regarde pas la télé ! Il écoute une petite minicassette dans le noir !

SONIA *(revenant ; la musique ne s'entend plus)*. Il dit qu'on l'empêche de dormir.

INÈS. Il a raison, on l'empêche de dormir, allons-y Hubert.

HENRI. Avant de vous laisser partir, je veux savoir Hubert si vous considérez que je me traîne ?

HUBERT. Vous l'empêchez de dormir, Henri.

HENRI *(baissant la voix)*. Je me traîne ?

HUBERT *(idem)*. Un peu.

HENRI. Un peu !

INÈS. Vous l'avez cherché ! Et c'est vrai que vous vous traînez ! Hubert, je n'en peux plus !

HUBERT. Il vous manque une portion d'envergure Henri, je suis désolé. On vous sent filandreux et égaré, vous devriez prendre des leçons chez votre femme, allons-y.

Ils partent.

Henri et Sonia restent seuls.

2.

Soir.
Même salon.

Sonia est assise, en robe de chambre. Elle lit un dossier.
Henri apparaît.

Douceur du ton.

HENRI. Il veut un gâteau.

SONIA. Il vient de se laver les dents.

HENRI. Bien sûr !

Un temps.
Elle est à nouveau dans son dossier, lui debout, indécis.

HENRI. Un quartier de pomme peut-être ?

SONIA. Quelle est la différence entre un quartier de pomme et un gâteau ?

HENRI... La pomme est moins sucrée.

SONIA. La pomme est très sucrée. Peut-être plus que le gâteau.

HENRI. Il a souvent faim au lit, tu as remarqué ? Est-ce qu'il ne mange pas trop tôt cet enfant ?

SONIA. Il mange à sept heures et demie, comme un enfant de son âge.

HENRI. Et si on lui lavait les dents après ?

SONIA. Après quoi ?

HENRI. Après le gâteau. Il pourrait manger un gâteau et se laver les dents ensuite.

SONIA. Il n'a qu'à manger un gâteau juste avant de se coucher, c'est-à-dire juste avant de se laver les dents.

HENRI. Oui.

SONIA. Tu as eu tort de lui donner ce gâteau.

HENRI. Je ne lui ai rien donné.

SONIA. Si.

HENRI. La moitié d'un Finger. Point. J'ai été draconien. *(Léger temps.)* Qu'est-ce que je lui dis ?

SONIA. Qu'est-ce que tu lui dis ?

HENRI. Je lui dis pas de pomme ?

SONIA. Tu viens de lui donner un Finger. Il ne va pas avoir le Finger et la pomme.

HENRI. Je lui dis pas de pomme.

SONIA. Tu lui dis pas de pomme, tu lui dis dodo.

HENRI. Dodo.

Il sort et revient.

HENRI. Très gentil. Je lui ai mis *Rox et Rouky.* *(Un temps.)* Qu'est-ce qu'on donne comme entrée ?

SONIA. Pamplemousse ?

HENRI. Un peu minable, non ?

SONIA. Melon-parme ?

HENRI. Avec le navarin ?

SONIA *(désignant son dossier)*. Ecoute, Henri…

HENRI. Melon-parme. *(Un temps.)* Et si on faisait des artichauts ?

SONIA. Très bien.

HENRI. Artichauts ou melon-parme ?

SONIA. Henri !

HENRI. Ou alors une salade de crabe. Ce qui a beaucoup plus de gueule.

SONIA. Salade de crabe. Parfait.

HENRI. Crabe et navarin ?… Oui. Tu le trouves séduisant Finidori ?

SONIA. Je l'ai vu à peine deux fois dans ma vie.

HENRI. Et tu l'as trouvé séduisant ?

SONIA. Bellâtre.

HENRI. Donc séduisant.

SONIA. Non, bellâtre.

HENRI. Quand une femme dit bellâtre, ça veut dire séduisant. Ça veut même dire très séduisant.

SONIA *(elle rit)*. Quelle bêtise !

On sonne.

SONIA *(à voix basse).* Qui est-ce ?

HENRI. Je vais regarder.

> Il revient aussitôt.
> Tout ce qui suit, à voix basse :

HENRI. Les Finidori !

SONIA. C'est demain !

HENRI. On est le 17… C'est ce soir.

SONIA. C'est une catastrophe.

HENRI. Oui.

SONIA. Qu'est-ce qu'on fait ?

HENRI. On ne peut pas ne pas ouvrir.

SONIA. Je vais me changer.

HENRI. Tu n'as pas le temps, tu peux très bien rester comme ça.

SONIA. Je ne vais pas recevoir les Finidori en robe de chambre !

HENRI. On s'en fout ! Autant qu'ils te voient en robe de chambre, de toute façon ils vont bouffer des chips !

SONIA. Je n'ouvre pas en robe de chambre !

HENRI *(il la retient par la robe de chambre tandis qu'on sonne à nouveau).* Tu n'as pas le temps de te changer, Sonia !

SONIA *(elle tente de se dégager).* Laisse-moi !

HENRI. Comment peux-tu être si égoïste ?

Nouvelle sonnerie.

***

Inès, Hubert, Sonia et Henri dans le salon.
Les deux invités picorent divers mets froids (chips, Babybel, boîte de Fingers, etc.) posés sur le plateau. Sonia et Henri les accompagnent en buvant.
Sonia s'est changée. Inès a un bas filé.

INÈS… Elle est alcoolique et dépressive. Hubert dit que c'est la même chose mais on peut être alcoolique sans être dépressif et les dépressifs ne sont pas tous alcooliques, elle, elle est les deux, elle prend des médicaments contre la dépression et elle boit, elle est arrivée à la maison, Achille Zavatta, fond de teint pas étalé, rouge à lèvres sorti des lèvres, Serge Bloch derrière, souriant comme si tout était normal – sauf qu'ils viennent d'être inondés – elle demande un scotch à peine assise, je regarde Serge, pas de réaction !

Un petit silence.

HUBERT. Qu'est-ce que tu veux dire par là ma chérie ?

INÈS. Je veux montrer à quel point vous êtes peu soucieux de notre dignité.

HENRI. On ne peut pas vivre avec Serge Bloch et ne pas être dépressif.

SONIA. Ils ont été inondés ?

HUBERT. Avant de partir en vacances, l'enfant du dessus a arrosé ses plantations en laissant le robinet ouvert.

INÈS. Francine venait de refaire sa chambre.

SONIA. La pauvre ! Elle manque de chance ! *(Elle rit de bon cœur.)*

Tous l'imitent. Sauf Inès.

HUBERT. Et à part ça Henri, où en êtes-vous avec l'aplatissement des halos ? *(Ils croquent les Fingers.)* Pas mauvais, ces petits gâteaux.

HENRI. J'ai fini. Je soumets l'article avant la fin du mois.

HUBERT. Formidable. Cela dit vous devriez vérifier sur Astro PH, il m'a semblé voir une publication voisine acceptée dans *A.P.J.*

HENRI. Récente ?

HUBERT. Ce matin. « *On the flatness of galaxy halos* ».

HENRI. « *On the flatness of galaxy halos* » !

SONIA *(charmante).* Hubert, qu'est-ce qui vous prend, vous n'allez pas démoraliser mon mari ?

HUBERT. A mon avis Sonia, il en faut plus pour démoraliser Henri.

INÈS. C'est quoi votre sujet ?

HENRI. Le même : « *Are the dark matter halos of galaxies flat ?* »

INÈS. Ce qui veut dire ?

HENRI. Les halos de matière noire des galaxies sont-ils plats ?

INÈS. Et ils sont plats ?

HUBERT. Inès, trésor, c'est quoi ces questions, qu'est-ce que tu connais ?

INÈS. Je m'intéresse aux travaux d'Henri.

HUBERT. Elle ne s'est jamais intéressée aux miens. Vous lui faites une sérieuse impression mon vieux !

HENRI. Je suis maudit.

SONIA *(toujours légère).* Henri, je t'en prie !

HUBERT. Les grands mots ! J'ai lu l'abstract en vitesse, il a peut-être abordé les galaxies elliptiques…

HENRI. Il a modélisé ?

HUBERT. Possible.

HENRI. Alors il parle des galaxies spirales !

HUBERT. Il traite peut-être de la matière visible, on ne connaît pas ses conclusions…

HENRI. Je suis maudit ! Je ne publie rien pendant trois ans et un con me pique le sujet au moment où je vais le soumettre. Ça s'appelle maudit !

L'ENFANT. Papa !

SONIA. Il veut que tu lui retournes la cassette.

INÈS. Quel âge a-t-il ?

SONIA. Six ans.

INÈS *(à Henri qui s'apprête à quitter la pièce)*. Je peux le voir ?

HENRI. Venez.

Ils sortent.
Hubert et Sonia restent seuls.

HUBERT. J'ai exactement quinze secondes pour vous convaincre de déjeuner avec moi cette semaine.

SONIA. C'est plus qu'il n'en faut.

HUBERT. Demain ?

SONIA. Demain, je ne peux pas.

HUBERT. Jeudi ?

SONIA. D'accord.

HUBERT. Vous viendrez pour lui ou pour moi ?

SONIA. Pour lui, bien sûr.

HUBERT. Parfait !

SONIA. Pourquoi lui avoir parlé de cet article ?

HUBERT. Une inspiration. Pour pimenter la soirée.

SONIA. C'est faux ?

HUBERT. Non.

SONIA. C'est grave ?

HUBERT. Ça dépend.

Il attrape sa main et la porte audacieusement à ses lèvres.

SONIA. De quoi ?

HUBERT. De son approche.

SONIA. Je lui dis tout !

HUBERT. Adieu rang A !

SONIA *(elle rit)*. Il m'a demandé si je vous trouvais séduisant.

HUBERT. Vous avez dit très ?

SONIA. J'ai dit bellâtre.

HUBERT. Plus subtil, bravo.

SONIA. Vous passez pour séduisant dans votre cercle ?

HUBERT. Il y a peu de concurrence.

SONIA. Vous n'avez pas honte ?

HUBERT. Honte ?

SONIA. Chez moi. Votre femme à deux mètres.

HUBERT. Je ne mets pas la morale à cet endroit.

SONIA. Vous la mettez où ?

HUBERT. Jeudi, vous le saurez.

INÈS *(revenant)*. Il a dit : je ne veux pas qu'elle reste dans ma chambre. J'ai dit, bonsoir Arnaud, il s'est tourné vers son père et a dit : je ne veux pas qu'elle reste dans ma chambre. Ne vous inquiétez pas, j'en ai deux, plus des neveux, je ne me vexe absolument pas.

SONIA. Henri l'a grondé, j'espère.

INÈS. J'ai soif. Dieu merci, Henri ne l'a pas grondé, il est allé lui peler une pomme.

SONIA. Je me bagarre pour qu'il se lave les dents et Henri le gave juste après.

INÈS. Tous les hommes font ça.

HUBERT. Qu'est-ce que c'est que cette générali-té stupide, tous les hommes ! D'où sort ce discours, Inès ? Personnellement, je n'ai jamais gavé qui que ce soit.

INÈS. Tu les excites, c'est pire. Il est capable d'entamer une partie de foot au moment où ils vont se mettre au lit.

HUBERT. Une fois j'ai joué au foot, elle va en parler pendant dix ans.

SONIA. Vous jouez au foot ? C'est drôle, je ne vous imaginais pas jouer au foot.

HUBERT. Je ne joue pas au foot, je tape dans un ballon de temps en temps avec mes fils, Inès appelle ça jouer au foot, vous m'imaginiez comment ?

SONIA. Je ne vous imaginais pas. Votre mari est un peu prétentieux, non ?

INÈS. Mon mari aime plaire, devant une jolie femme mon mari fait son dandy et son provocant.

HUBERT. Est-ce que le sancerre te réussit ma chérie ?

HENRI *(revenant).* J'ai trouvé des Apéricubes, j'ai vraiment honte, il y a aussi une boîte de sardines, vous voulez qu'on ouvre des sardines ?

HUBERT. Apéricubes, merveilleux. Je n'aurais peut-être pas dû manger les Fingers avant.

SONIA. Tu lui as donné une pomme ?

HENRI. Je lui ai pelé une petite pomme. Il a faim, il a faim au lit, qu'est-ce que tu veux.

SONIA. Tu lui avais déjà donné un Finger.

HENRI. Un demi-Finger. On ne va pas reprendre cette discussion, Sonia, elle n'a pas d'intérêt pour nos amis.

HUBERT. Ne croyez pas ça, Henri, il n'est pas désagréable de frôler l'intimité des couples.

HENRI. Vous auriez pu tomber sur un échantillon moins ordinaire.

HUBERT. C'est justement ça qui est excitant. L'intimité ordinaire. On ne peut pas toujours tenir son esprit dans les régions hautes.

INÈS. Personnellement, je suis cérébralement plus motivée dans une discussion sur l'opportunité d'un demi-Finger que sur l'aplatissement des galaxies.

HUBERT. Des halos, chérie.

HENRI. Si on pouvait abandonner ce sujet, si on pouvait laisser ce sujet complètement en dehors de la soirée, je serais très heureux.

HUBERT. Vous vous angoissez pour rien, Henri.

HENRI. Je ne m'angoisse pas du tout, vous m'avez informé, amicalement, de l'existence de travaux parallèles, j'ai pris bonne note, la question est close.

SONIA. Hubert, vous avez le devoir de rassurer mon mari. Vous êtes responsable de son désarroi.

HENRI. S'il te plaît, Sonia, cesse de me faire passer pour un type qui se démoralise pour un oui pour un non et qui n'a pas de nerfs, tout va bien, nous venons d'éliminer deux sujets sans avenir, entre la pomme et la matière noire on devrait bien trouver un nouveau point de départ attrayant.

HUBERT. Il y a un mois, je suis parti quelques jours pour un congrès international en Finlande. J'ai côtoyé les meilleures équipes au monde. J'ai assisté à des revues exceptionnelles, j'en ai moi-même donné une qui a eu l'heur d'être significative, j'ai eu les échanges les plus fructueux avec de grands pontes et de quoi je me souviens ? Qu'est-ce qui a marqué mon esprit et jusqu'à mon âme – si je ne craignais pas d'être pompeux ? Une promenade morne et sans joie dans les environs de Turku. J'ai côtoyé les plus grands chercheurs américains, anglais, néerlandais, nous avons eu des échanges remarquables et que reste-t-il ? Une marche monotone le long d'une mer grise.

Un temps.

INÈS. On peut savoir pourquoi tu nous parles de ça tout à coup ?

HUBERT. Un écho à ce que vient de dire Henri. Je pensais à l'importance des choses. A ce qui a de l'intérêt et ce qui n'en a pas. Des heures apparemment vides restent gravées, des mots insignifiants engagent l'être. Henri ?...

SONIA. Henri ?... Hubert s'efforce de nous trouver un sujet attrayant.

HENRI. Très attrayant, oui. Continuez.

HUBERT. J'ai fini.

Un léger temps.

INÈS. Vous habitez là depuis longtemps ?

SONIA. Un an et demi.

INÈS. Et avant ?

SONIA. Dans le quartorzième.

INÈS. C'est mieux ici. C'est plus tranquille.

HENRI. Ça n'est absolument pas tranquille, on construit un parking rue Langelot.

INÈS. A un moment donné ce sera fini.

HENRI. Dans deux ans.

SONIA *(elle rit)*. Dans un mois !

INÈS. Je peux fumer ?

HENRI. Si vous pouvez vous en empêcher ce serait mieux.

SONIA. Quelle mouche te pique, tu plaisantes ! Fumez Inès, bien sûr !

HUBERT. Personne ne fume, pourquoi veux-tu fumer !

SONIA. Elle peut tout à fait fumer, Henri dis-lui qu'elle peut fumer !

HUBERT. Nous sommes chez Henri, la cigarette indispose Henri, Inès n'a aucune raison de fumer. D'autant que fumer n'est pas une nécessité pour une femme.

INÈS. Je ne fume pas.

SONIA. Inès, je vous demande de fumer.

INÈS. Je n'ai plus envie de fumer.

SONIA. Tu comptes te montrer atrabilaire et grossier toute la soirée Henri ?

HENRI. Fumez, je m'en fous.

HUBERT. Henri, je ne veux pas retourner le fer dans la plaie, mais admettez que quelque chose s'est déréglé ce soir.

On entend faiblement une chanson en provenance de la chambre de l'enfant.

INÈS. *Rox et Rouky* !

HENRI. Vous m'avez foutu le cafard avec votre promenade en Finlande.

INÈS. Les enfants l'ont aussi.

HUBERT. Ah bon ? Le cafard, pourquoi ?

HENRI. Au point où j'en suis Hubert – aussi risible que cela paraisse – une invitation à Turku est une fin en soi. Un type pour qui le congrès est une fin en soi a du mal à inclure la balade existentielle sur la Baltique. C'est normal qu'il écoute encore une cassette à cette heure-ci ?

SONIA. Tu viens toi-même de la lui retourner !

INÈS. Il ne sait pas retourner sa cassette tout seul ?

SONIA. Il a la flemme de se redresser.

INÈS. C'est vrai ?

HUBERT *« Luminous and dark matter in spiral galaxies »,* le thème du congrès. Pourquoi ne pas vous y être inscrit ?

HENRI. Pour présenter un *poster* ? Et passer vingt-quatre heures debout à côté, comme Serge Bloch à Edimbourg ?

HUBERT. On connaît vos travaux sur la dynamique des galaxies, vous n'auriez pas eu de mal à vous faire inviter, Henri. Les dynamiciens étaient les bienvenus à Turku.

HENRI. Quittez ce ton de condescendance. S'il vous plaît. N'essayez pas de me repêcher à tout moment. Je me fous de Turku.

HUBERT. Vous venez de dire le contraire.

HENRI. Je me fous de Turku.

SONIA. Arrête Henri, c'est puéril. Et gênant.

HENRI. Je me fous de Turku.

SONIA. Bon, il se fout de Turku, je reprendrais bien un peu de sancerre.

HUBERT. Vous ne vous foutez pas de Turku, ni de votre article, ni de votre promotion, vous trouvez malin – Dieu sait pourquoi – de vous flinguer par orgueil.

HENRI. J'ai plaisir à me flinguer devant vous, je le reconnais. Il y a encore une heure, j'étais parti pour me traîner à vos pieds, j'éprouve l'ivresse de la conversion.

SONIA. Tu as trop bu Henri. Tu es ivre mort.

HENRI. Quoi ? Tu devrais te réjouir, ma chérie. Adieu ton finidorien. Adieu cou rentré et épaules comprimées, adieu rire servile…

INÈS. C'est quoi ton finidorien ?

HENRI. Un ton que j'adoptais quand je croyais qu'Hubert Finidori pouvait statuer sur mon avenir, avant qu'il n'arrive chez moi avec un jour d'avance et qu'il s'empresse – qu'il s'empresse ! – de me livrer une information de nature troublante, de la manière la plus floue donc la plus troublante, avant que devant mon trouble il ne recule de trois petits pas afin de me rappeler à la raison et me vante, pour conclure et me laminer, l'inutilité de la réussite, la vacuité et le néant.

INÈS. Si nous sommes venus avec un jour d'avance, c'est entièrement de ma faute, Henri. J'ai écrit sur une feuille volante mercredi 17 or le 17 est un jeudi, d'habitude le jeudi j'ai mon cours de…

HUBERT. On s'en fout, on s'en fout, ça n'a pas d'importance, Inès. Vous êtes un véritable artiste, Henri, vous faites et défaites le monde selon vos humeurs. Vous m'avez hissé au rang de protecteur, je l'ignorais. J'ignorais que vous m'aviez infligé ce standing. L'aurais-je su que je me serais employé à vous signifier mon impuissance. Je n'avais pas noté, voyez-vous, le rire servile, et je percevais, quel idiot, une nuance amicale là où il y avait ton finidorien. Je suis désolé de votre acrimonie et je suis désolé de m'en sentir irresponsable car j'ignorais qui j'étais pour vous.

INÈS. Tu n'ignorais rien Hubert et j'en ai assez d'être mortifiée dès que j'ouvre la bouche. Mon mari m'a dit tout à l'heure dans la rue qu'Henri avait besoin de son appui pour passer directeur de recherches.

HUBERT. Je n'ai pas dit, mon chéri, qu'Henri avait besoin de mon appui, j'ai dit, mais tu étais préoccupée par ton bas filé (qui s'aggrave d'ailleurs), j'ai dit, dans un esprit de sympathie, que je pourrais peut-être, si Henri publiait dans l'année, donner un coup de pouce à sa promotion. Je l'ai dit sans me douter que cette tâche m'était assignée et je l'ai dit comme un homme qui parle à sa femme dans le secret d'une intimité confiante.

SONIA. Votre culot est désarmant. Est-ce un compartiment de votre séduction ?

HENRI. De votre séduction Hubert ! Qu'en dites-vous ?

INÈS. Tu as dit qu'Henri avait besoin de ton appui. Et tu as ajouté que lui et sa femme seraient courbés en deux.

HUBERT. J'avais tort ! Ils ne sont pas du tout courbés en deux, tu vois.

HENRI. Je ne suis pas courbé parce que j'ai la passion de décevoir, quant à ma femme je doute qu'elle se courbe jamais pour m'avantager. Il n'y a plus de Fingers, vous avez croqué le paquet entier ?

SONIA. Arrête de boire, Henri.

HENRI. J'aime beaucoup votre cravate Hubert, c'est une chose que j'ai notée tout de suite quand vous êtes arrivé, la qualité de la cravate et le désassortiment avec la pochette, c'est remarquable une audace pareille, sans parler de la cravate en elle-même qui est rare dans notre branche où le débraillé est d'usage comme le tutoiement, vous Hubert vous êtes d'une autre trempe, allure, distance, vouvoiement, spleen en mer du Nord... Etre si peu de chose dans l'univers et vouloir faire sonner sa note, sa note infinitésimale au clocher des temps...

INÈS. Eh bien moi figurez-vous – j'ai bu autant que vous Henri donc je me lance – je ne crois pas du tout, quitte à faire rire, mais de toute façon mon mari pouffe ou soupire dès que j'ouvre la bouche – notre couple va à vau-l'eau, autant l'admettre – je ne crois pas du tout que l'homme est peu de chose dans l'univers. Que serait l'univers sans nous ? Un endroit d'un morne, d'un noir, sans un gramme de poésie.

C'est nous qui l'avons nommé, c'est nous, les hommes, qui avons mis dans ce dédale, des trous, des lumières mortes, l'infini, l'éternité, des choses que personne ne voit, c'est nous qui l'avons rendu vertigineux. Nous ne sommes pas peu de chose, notre temps est insignifiant mais nous nous ne sommes pas peu de chose...

Léger silence.

SONIA. Vous avez dit que nous serions courbés en deux ? Je suis navrée de revenir à des choses si terre à terre quand Inès a courageusement tenté d'élever le débat.

HUBERT. Courbé en deux ? Est-ce que la formule est dans mon champ lexical ?

INÈS. Tu as dit courbé en deux.

HUBERT. J'ai dit *courbé en deux,* Inès ? Que signifie courbé en deux ? Servile ou tout simplement courtois, bien élevé ? Inès me poignarde, pour des motifs obscurs, elle lance dans les airs une tournure hors contexte, sous son mode le plus sec et le plus humiliant et moi je dois répondre de cela ? Allons-nous mes amis, choir dans le pitoyable ?

82

SONIA. Abandonnez ce ton boursouflé, Hubert, il n'amuse que vous. Vous avez dit que nous serions courbés en deux, dans la formule, voyez-vous, c'est le *nous* qui est particulièrement malencontreux. Qu'on envisage son obligé courbé, je le conçois, c'est même ce qui fait le charme de l'obligé, mais inclure sa femme dans cette logique de prosternation est une erreur. Je vous trouvais un certain piquant, je dois l'avouer, et je n'attendais pas, venant de vous, une vulgarité de cette nature.

HENRI. Toi aussi quitte ce ton Sonia ! Qu'est-ce que c'est que ces minauderies ? Le charme de l'obligé ? L'obligé peut te clouer la gueule si tu continues !

HUBERT. Vous déraillez Henri !

INÈS. Il ne déraille pas.

SONIA. Qu'est-ce qui vous prend Inès ?

INÈS. Je vous ai vus tout à l'heure.

SONIA. Vu qui ?

INÈS. Vous deux.

SONIA. Vu quoi ?

INÈS. Vous le savez mieux que moi.

83

HUBERT. Inès, redescends sur terre mon ange. Inès ne peut pas boire plus d'un verre, après quoi elle ne s'oriente plus dans l'espace connu.

SONIA. Vu quoi ? Dites-le.

INÈS. Vous êtes trop forte pour moi Sonia, je suis vite désarçonnée... *(Elle tend son verre à Henri qui la sert et vide son propre verre.)* Merci Henri.

HUBERT. Je vais la ramener.

INÈS. Ça va être horrible dans la voiture, vous savez, Henri, là il se tient, il fait son gentleman, mais dans la voiture ça va être un cauchemar, vous pouvez m'appeler un taxi ?...

HENRI. Vu quoi, Sonia ? Qu'est-ce qu'elle a vu ?

SONIA. Qu'est-ce qu'elle a vu ? Je ne sais pas ! Elle ne veut pas le dire !

HUBERT. Elle n'a rien vu, elle a un peu trop bu et elle va rentrer gentiment se coucher...

INÈS *(à Henri).* Ils se ressemblent, ils ont le même cynisme et le même aplomb. Nous ne pouvons pas rivaliser avec des gens comme eux.

HENRI. Ne m'associez pas à vous ! Ne faites pas la moindre tentative pour nous mettre dans le même sac ! Nous sommes dans des mondes antagoniques !

INÈS. C'est ce que vous croyez…

HUBERT. Allons-y.

HENRI. Foutez le camp. Ramenez votre bonniche. Foutez le camp.

INÈS. Parfait, Henri ! Donnez-moi tous les noms du monde, j'ai franchi les seuils de l'ivresse, j'ai l'air d'une romanichelle, mon mari est une canaille, la soirée sera historique pour moi…

HUBERT. Allons-y.

INÈS. Oui, allons-y, mon ange, achève-moi dans l'Audi, nous avons une Audi neuve, Hubert l'a garée en épi à un kilomètre pour éviter un accroc…

HUBERT. Tu ressembles à Francine Bloch Inès, tu ne vas pas nous faire ta Francine Bloch mon chéri !

INÈS. Je suis inhumiliable, tu peux continuer…

HENRI. Pas de pleurnicheries ! Pour l'amour du ciel ! Vous n'allez pas nous sentimentaliser les choses avec des geignements de petite-bourgeoise. Inhumiliable ! J'apprécie le mot remarquez, voilà un mot pour moi, un stade de premier ordre, inhumiliable, foutez le camp.

HUBERT. Allons-y. *(Il entraîne Inès.)* A bientôt, Sonia.

SONIA. Au revoir.

HUBERT. A jeudi ?

SONIA. Sûrement pas.

Il lui sourit.

Hubert et Inès sortent.

Henri et Sonia restent seuls.

3.

Soir.

Les quatre mêmes (les Finidori sont arrivés).
Même situation.

Sonia est en robe de chambre. Inès n'a pas de
bas filé.

Enjouement.

HUBERT. Que serait la théorie de tout ? Une
théorie unifiée des forces fondamentales. Or
quand bien même on concevrait une théorie de
toutes les interactions fondamentales, d'abord
on serait loin d'une théorie de tout, il ne suffit
pas d'examiner toutes les cellules d'un éléphant
pour connaître sa réalité zoologique, Poincaré,
mais il faudrait éliminer le paradoxe cosmolo-
gique ! Comment saisir le monde *tel qu'il est* ?

Comment abolir l'écart entre réel et représenta-
tion, l'écart entre objet et mot, comment ça
s'appelle ça, Fingers, excellent, comment, en
gros, penser le monde sans être là pour le penser ?

HENRI. Paradoxe d'autant plus tragique que
l'objectivisation totale est la grande visée de
l'entreprise scientifique.

HUBERT. Après la religion et la philosophie, la
science court après l'unité. Vaine poursuite ou
terre promise ?

HENRI. Qui peut le dire ?

SONIA. Quel est l'intérêt d'une théorie unifica-
trice ?

HUBERT. Bonne question. Très bonne question,
je ne crois pas qu'il faille parler en terme
d'intérêt mais de manque. Nous vivons dans le
regret d'un monde sans séparation, dans la nostalgie d'une totalité perdue, nostalgie accentuée
par la fragmentation du monde opérée par la
modernité.

HENRI. Juste.

On entend faiblement une chanson en provenance de la chambre de l'enfant.

INÈS. *Rox et Rouky* !

HENRI. Comment ça se fait qu'il ne dorme pas ?

SONIA. Il ne dort pas. On ne peut pas l'obliger à dormir. Il a éteint, il écoute sa cassette.

INÈS. Il est adorable. Très indépendant.

SONIA. Oui, très indépendant.

INÈS. Vous avez de la chance, les nôtres sont capables d'apparaître quatorze fois dans la soirée.

HENRI. Arnaud est complètement autonome. Trop même. Je serais d'avis de lui faire éteindre sa cassette Sonitchka, non ?

SONIA *(se levant, à Inès).* Vous voulez le voir ?

INÈS. Avec plaisir !

Elles sortent.
Hubert et Henri restent seuls.

HUBERT. Alors, l'aplatissement des halos ?

HENRI. Fini. Je soumets l'article avant la fin du mois.

HUBERT. Parfait. Ceci dit, vous devriez vérifier sur Astro PH, il m'a semblé voir une publication voisine acceptée dans *A.P.J.*

HENRI. « *On the flatness of galaxy dark halos* », exact, Raoul Arestegui, un collègue, m'a appelé pour me le signaler, j'ai laissé mon portable au bureau.

HUBERT. Pas loin de votre sujet, non ? Un drame ces gâteaux, enlevez-les-moi.

HENRI. Allez-y, je vous en prie, j'ai honte de cette manière de recevoir, tout à fait mon sujet, apparemment c'est le sujet en vogue, une équipe mexicaine.

HUBERT. Les Mexicains s'y mettent, on dirait !

HENRI. On dirait !

HUBERT. Embêtant ?

HENRI. J'espère pas. Je ne sais pas quelle est leur approche ni leur conclusion, Raoul doit me rappeler. Il y a de bonnes chances pour que nous soyons complémentaires.

HUBERT. Oui, oui, oui. Bien sûr.

HENRI. Faisons confiance à la diversité des cerveaux humains.

HUBERT. Bravo.

HENRI. Je vais devoir inclure leurs résultats dans mon article. C'est presque un avantage.

HUBERT. Certainement ! Je vous trouve très en forme Henri.

HENRI. Fatigué mais en forme, oui.

HUBERT. Agréable ce quartier.

HENRI. Très.

Apparaît Sonia.

SONIA. Il veut que tu viennes…

HENRI. J'aimerais mieux qu'il dorme.

SONIA. Il montre à Inès son aéroport et il dit que tu ne l'as pas vu.

HENRI. Vous m'excusez deux minutes Hubert.

Il sort.
Hubert et Sonia restent seuls.

Aussitôt Hubert se jette sur Sonia et tente de l'attirer à lui.

HUBERT. Dans ce déshabillé, pas maquillée, chez vous, au milieu de vos objets, si vous aviez voulu m'anéantir il ne fallait pas en montrer davantage...

SONIA *(elle rit et tente de lui échapper – mollement).* Vous êtes dingue...

HUBERT *(en la poursuivant).* Vous êtes adorable Sonia, vous êtes blessante, vous êtes désarmante... je n'ai pas couru, j'ai volé, j'ai fait sauter un jour du calendrier, j'ai déréglé le temps pour vous retrouver...

SONIA. Vous m'avez vue deux fois dans votre vie... vous êtes ivre...

HUBERT. Et alors ? Une fois aurait suffi... *(Il tente de l'embrasser, il rate, elle rit, s'enfuit, il attrape sa main, il joue)...* Vous connaissez la Baltique ?... il y a un mois j'ai marché au nord de Turku, dans un pays froid et désolé, et je pensais à une femme aperçue chez les malheureux Bloch... *(elle parvient à s'échapper, il la rattrape)...* je marchais le long d'une mer sombre, le long de maisons basses et sans fenêtres, et je ne cessais de penser à elle... quelle chance a Henri, Henri est grandiose, des Mexicains ont traité son sujet, il fait celui qui s'en fout, si on refuse son article, je ne pourrai rien pour lui... j'adore vos yeux...

SONIA. Des Mexicains ?…

HUBERT. Des Mexicains.

SONIA. Ils sont derrière la porte…

HUBERT. Les Mexicains ?…

SONIA *(elle rit et se laisse prendre)*… Mon fils, Henri, Inès…

HUBERT. Le monde entier est derrière la porte… le monde est toujours de l'autre côté de la porte !…

Il l'embrasse. Elle se laisse faire.

On entend les voix d'Inès et d'Henri.
Ils se séparent.

INÈS. Un véritable architecte cet enfant !

HENRI. Il veut un gâteau.

HUBERT *(se saisissant de la boîte de Fingers)*. Voilà, voilà, c'est ma mort ces Fingers !

INÈS. Mais enfin, Hubert, ils ne vont pas lui donner un paquet de gâteaux dans son lit !

HENRI. Ni même un seul !

SONIA. Donne-lui, qu'est-ce que ça peut faire, il ne va pas mourir.

HENRI. Je lui donne le paquet ?

HUBERT. J'en ai mangé les trois quarts.

INÈS *(à Henri, qui va pour sortir avec le paquet)*. Vous avez tort, Henri.

HENRI. Qu'est-ce que je fais ?

SONIA. Donne-lui un gâteau.

HENRI. Un seul ?

HUBERT. Il doit en rester deux ou trois maximum.

HENRI. Je fais quoi, Sonia, avant de devenir cinglé ?

SONIA. Donne-lui ce qui reste, et dis-lui que c'est très exceptionnel.

   Henri sort.

INÈS. Il m'a tout expliqué. En réalité il a construit un aéroport-gare…

HUBERT. Un aérogare.

INÈS. Non, non, un aéroport-gare.

HUBERT. Ça s'appelle un aérogare.

INÈS. Je sais très bien ce qu'est un aérogare Hubert, le petit a fait un aéroport-gare, une gare dans l'aéroport, une gare avec des trains, des rails qui croisent des pistes, ça n'est pas un aérogare, c'est un aéroport avec des avions, combiné à une gare ferroviaire, un aéroport-gare !...

HENRI *(revenant).* Il restait deux Fingers !

INÈS. Qu'est-ce qu'il a fait Arnaud ? Un aéroport-gare !

HENRI. Un aéroport-gare, oui.

HUBERT. Très bien. Pourquoi s'énerver ?

HENRI. Qui s'énerve ? On meurt de soif ici. Un petit alcool, Hubert ?

HUBERT. Merci, je reste au sancerre.

HENRI *(il le sert).* Sonia ?... Inès ?... *(il remplit tous les verres, Inès boit).*

Silence.

HUBERT. Que deviennent les Bloch ? Vous les voyez ?

SONIA. Ils ont été inondés.

HUBERT. Inondés ?

SONIA. Avant de partir en vacances, l'enfant du dessus a arrosé ses plantations en laissant le robinet ouvert.

HENRI. Francine venait de refaire l'appartement.

SONIA. Et lui sortait d'une dépression.

HUBERT. Il est dépressif le pauvre.

HENRI. Oui.

Un temps.

HUBERT. La dernière fois que je l'ai vu, je lui ai dit : écoutez, Serge, la dépression c'est une spirale, personne ne peut vous aider, personne ne peut rien pour vous, le seul remède c'est la volonté, la volonté, la volonté. Ça l'a triplement abattu. Ce n'était pas du tout ce qu'il fallait faire avec lui. Il est resté prostré, avec un regard d'effroi comme je n'en avais jamais vu.

INÈS. Si j'étais déprimée et qu'on me disait : la volonté, la volonté, j'irais directement me jeter par la fenêtre.

SONIA. Moi aussi.

HUBERT. Qu'est-ce qu'on peut dire ? Quoi qu'on fasse on perd du terrain. On peut dire vous mon vieux vous avez une longueur d'avance, vous avez anticipé la dégringolade, bravo, remerciez la fatalité qui vous distingue au royaume des foutus. Voilà ce qu'on peut dire.

Silence.

HENRI. On devrait faire un dîner avec les Bloch.

SONIA. Tu as encore d'autres idées aussi amusantes ?

Le téléphone sonne.
Henri va répondre.

HENRI. ... Ok, je t'écoute... *(aux autres)* Raoul Arestegui... *(à Raoul)* Oui... Oui... D'accord... Ah bon ?... Ah bon !... Non, non, moi j'ai traité trois galaxies externes !... Tu parles !... Un sur dix... Trois sur quatre ?... Bon, parfait... Merci, Raoul, merci, je ne peux pas te parler, je suis avec des amis, on se voit lundi… Ciao. *(Il raccroche.)*… « *On the flatness of the Milky Way's dark halo !* », *the Milky Way !* Ils ont traité la Voie lactée !… Les simulations cosmo donnent un rapport de un sur deux ! Mon rapport est de un sur dix ! Et ceux qui ont modélisé trouvent trois sur quatre !

HUBERT. Formidable.

HENRI *(modestement fou de joie)*. Pas formidable mais je me sens mieux ! Buvons, mes amis, buvons ! Vive les Mexicains ! Vous crevez de faim, non ? Sonia, où sont les Apéricubes, on avait des Apéricubes, chérie ?

SONIA. Là.

HENRI. Ah, je ne les avais pas vus ! Apéricubes au paprika, au cumin ! Au cumin, divin, Inès ?

INÈS. Non merci.

HENRI. Hubert, allez, allez !

HUBERT *(il prend une poignée d'Apéricubes et lève son verre)*. A votre publication, Henri !

HENRI *(choque son verre, heureux)*. Il se fout de moi mais c'est pas grave !

INÈS *(elle boit)*. Je ne comprends rien mais je m'associe !

SONIA. Moi je trinque et je t'embrasse mon amour.

HENRI. Embrasse-moi mon amour ! Levons notre verre au héros de la journée, le colosse qui ne publie rien pendant trois ans et qui fait la fiesta parce qu'il peut soumettre son petit article !

SONIA. Quelle vanité !

HENRI. Pas vanité. Coquetterie, Sonia. Que nos amis ne s'imaginent pas qu'en dépit de mon soulagement j'ai perdu le sens de la mesure. *(Il boit.)* Surtout en face d'un *ponte* !

HUBERT. Il se fout de moi, mais qu'importe.

SONIA. Vous n'êtes pas un ponte ? Je serais déçue.

HENRI. Je l'ai formée dans le mythe Finidori, attention !

HUBERT. Je vois.

HENRI. *Milky Way !* Pourquoi il l'a pas dit plus tôt, ce con ! Moi j'en étais déjà à penser galaxies spirales, galaxies elliptiques ! Musique ? Si on mettait un peu de musique !

INÈS. Oh oui, musique !

SONIA. On ne va pas mettre de la musique, Henri !

HENRI. Pourquoi pas ?

HUBERT. Il a raison, pourquoi pas !

Flottement, Henri erre dans une sorte d'in-décision.

HENRI. Non c'est vrai c'est idiot, on ne va pas mettre de la musique.

INÈS. Et pourquoi on ne mettrait pas de musique ?

HUBERT. Il n'a plus envie, Inès.

SONIA. On peut passer une bonne soirée sans musique, non ?

INÈS. Vous avez l'air déprimé tout à coup, Henri.

HENRI. Je ne suis pas déprimé.

INÈS. Votre enfant a fait un merveilleux édi-fice, demain il le détruira, dans son monde on ne garde pas les choses, on ne garde rien, ni même soi… *(Elle boit.)*… Servez-moi encore

Henri s'il vous plaît, moi je me suis découragée subitement, j'ai même peur de vous gâcher la soirée... Il a fait de la neige sur les pistes avec des mouchoirs en papier... Au-dessus des cubes il y a des tempêtes, et des ouragans... Au-dessus de nous... qu'est-ce qu'il y a ?... Faites-moi rêver vous qui vivez haut...

HENRI. Je ne vis pas très haut Inès... Même plutôt assez bas pour dire la vérité.

INÈS. Ah bon ?

HENRI. Vous voyez bien. Passer d'une joie absurde à une mélancolie aussi absurde. Tout ça ne repose sur rien.

Léger temps.

HUBERT. En tout cas, Henri, pour revenir à vos affaires, si vous publiez d'ici la fin de l'année, moi je me ferai un devoir de parler de vous au comité.

HENRI. Hubert, rien ne vous y oblige !

SONIA. Tu ne bois pas un peu trop, Henri ?

HUBERT. Je parlerai de vous parce que vous êtes un homme pur, vous avez du talent mais vous n'avez pas l'esprit belligérant. Vous n'êtes pas doté des capacités stratégiques de certains de vos collègues. Une carrière, c'est un plan de guerre.

HENRI. Présenté comme ça, ça me fait vomir.

HUBERT. Alors je parlerai de vous pour m'attirer les bonnes grâces de Sonia à qui j'ai l'impression d'être antipathique.

INÈS. Tu crois être drôle mais tu es d'une lourdeur.

SONIA. L'élégance aurait consisté à soutenir mon mari sans le faire savoir. Un coup de pouce dans l'ombre.

HUBERT. Vous voyez que je vous suis antipathique.

HENRI. Qui veut le dernier cumin ?

HUBERT. Mangez-le Henri.

Un temps.

HENRI. Pour moi ce sont les meilleurs, ceux au cumin.

HUBERT. Moi ce soir j'ai découvert… quoi déjà ?… les Fingers. Tu retiens ce nom Inès.

HENRI. Vous pourrez vous vanter d'avoir reçu l'accueil le plus merdique de votre existence.

HUBERT. Je voudrais comprendre Henri cet accès de morosité. En sommes-nous responsables ?

SONIA. Henri veut que les choses arrivent et qu'elles n'arrivent pas. Il veut à la fois réussir et ne pas réussir, être quelqu'un et ne pas être quelqu'un. Etre vous Hubert et être un raté, il veut qu'on l'aide et qu'on le rejette. Voilà comment est Henri, Hubert, un homme qui passe de la joie à la mélancolie et de la mélancolie à la joie, qui soudain s'agite, se lève d'un bon pied et s'agite, et croit que la vie est pleine de promesses et se voit avec le Russell Prize ou le Nobel, prend des airs de conspirateur excité et sans raison, tout à coup, s'accable, se paralyse et au lieu de la hâte et au lieu de l'impatience, le doute, et l'incertitude, et au lieu du désir, le doute et l'immense incertitude, les gens sont plus ou moins bien préparés à la vie…

INÈS. J'ai filé mon collant.

HENRI. Elle était avocate avant de travailler pour un groupe financier. A mon avis, elle pouvait faire acquitter n'importe quel criminel.

HUBERT. Tu devrais poser ton verre, Inès.

INÈS. Je me suis fanée en deux heures. Est-ce que vous savez qu'Hubert vient d'être nommé à l'Académie des sciences ?

Silence.

SONIA. Vous venez d'être nommé à l'Académie des sciences ?

HUBERT. Etait-ce utile de le clamer sur les toits ?

INÈS. Sur les toits c'est vexant, nous sommes chez nos amis.

HUBERT. Nos amis s'en foutent.

SONIA. Vos amis ne s'en foutent pas Hubert, vos amis – le mot est peut-être exagéré – vos amis mesurent la distance. Ils s'inclinent. Ils veulent se réjouir avec vous, mais…

HENRI. Ils se réjouissent, bravo Hubert, qu'est-ce qu'elle raconte ?

SONIA. Ils se réjouissent, oui.

HENRI. Nous nous réjouissons. L'Académie, quel parcours Hubert ! L'Académie que nous fêtons avec des chips et des Apéricubes ! Nous nous réjouissons, et même voyez-vous si je me sens ce soir tout à coup frappé de légère solitude, je me réjouis sincèrement Hubert de cette apothéose.

HUBERT. Apothéose. Bon. *(Il se lève.)* Inès. Il est tard, nous devons prendre congé. *(Inès se lève.)* Je parlerai de vous au comité, Henri. Dans l'ombre. Envoyez-moi votre article avant même de le faire référer.

INÈS. Merci pour cette bonne soirée. Il est temps que je disparaisse, un seul verre suffit déjà à m'étourdir.

HUBERT. Au revoir Sonia…

SONIA. Au revoir…

Ils partent.

Henri et Sonia restent seuls.
Silence.

Trois versions de la vie

HENRI. Il dort ?

SONIA. On dirait.

On entend, venant de la chambre de l'enfant, la musique de *Rox et Rouky.*

TROIS VERSIONS DE LA VIE
de Yasmina Reza

a été créé le 7 novembre 2000
au théâtre Antoine (Paris)

Mise en scène : Patrice Kerbrat
Assistante : Anne Bourgeois
Décor : Edouard Lang
Lumière : Laurent Béal
Costumes : Pascale Fournier

Distribution
HENRI : Richard Berry
SONIA : Catherine Frot
HUBERT : Stéphane Freiss
INÈS : Yasmina Reza

*Cet ouvrage a été composé
et achevé d'imprimer
par l'Imprimerie Floch à Mayenne,
pour les Éditions Albin Michel
en octobre 2000.*

*N° d'édition : 19272. N° d'impression : 49102.
Dépôt légal : novembre 2000.
Imprimé en France.*